辞書・事典のすべてがわかる本

① 辞書・事典の誕生のひみつ

監修／倉島 節尚　　文／稲葉 茂勝

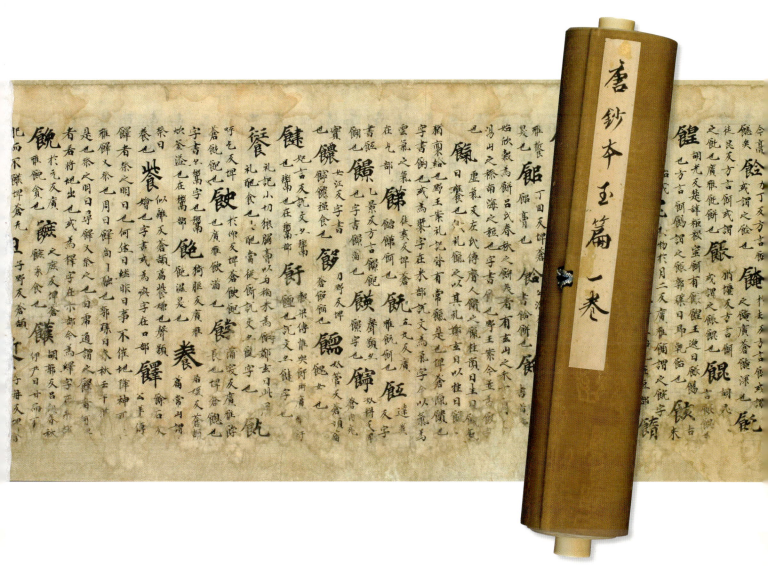

あすなろ書房

はじめに

　古代エジプト文明で、「ヒエログリフ」とよばれる文字がつかわれていたことはよく知られています。現在でも、ピラミッドや宮殿に行けば、上の写真のようにいたるところにヒエログリフを見ることができます。

　なんと書いてあるの？　どう読むの？　たいていの人は、そう思うでしょう。なかには、「ヒエログリフの辞書があればいいなぁ」と思う人もいるはずです。

　1799年、エジプトのロゼッタという場所で、石碑（ロゼッタストーン）が発見されました。それにはヒエログリフとほか2種類の文字が書かれていました。しかし当時は、なにが書かれているのかまったくわかりませんでした。古代エジプトの王家の財宝のありかが記されているのかもしれないなどといった思いが、多くの人をその解読に駆りたてました。それから20年以上が経って、フランス人のシャンポリオンがロゼッタストーンの解読に成功しました。

　その後、さまざまな研究が積みかさねられました。今では、右の表のようにヒエログリフの辞書もつくられています。

ヒエログリフ	読み方	意味
	イアト	丘
	レドゥウ	階段
	メル	ピラミッド

　現在日本には、右下のようにヒエログリフを日本語の五十音にあてはめた表もあります。

　辞書は、人類にとって偉大な発明です。辞書があれば、わからない文字の意味や読み方がわかるのです。人類史上はじめて辞書を発明したのは、「シュメール人」だといわれています。しかし、シュメール人は、あまりにも多くの謎につつまれているため、辞書の発明についても、はっきりしていません（⇒P17）。

出典：『エジプト学ノート』（著／齋藤悠貴、編／こどもくらぶ、今人舎）

このシリーズ「辞書・事典のすべてがわかる本」の「辞書」とは、多数の語を集録し、一定の順序に配列して、語の意味や用法などをしめした本です。辞書は、辞典や字典ともいうことがありますが、これらは明確にわけられているとはいえません。さらに、字書や字引といった言葉もあります。また、それらに似た事典（ことてん）とよばれるものもあります。これは、いろいろなものごとや、ことがらを集めて説明した本です。

　中国人は漢字を発明しました。また、日本人は、漢字を変化させ、かなを発明しました。
　では、漢字がわからないときにつかう「漢和辞典」は、中国人、日本人のどちらが発明したのでしょうか。残念ながら、それはわかりません。しかし、わからない漢字で、なんと書いてあるのか？　どう読むのか？　中国から漢字が日本に伝わってきたばかりのころには、そのように思った日本人がいて、「漢和辞典」をもとめたことはかんたんに想像できます。
　「漢和辞典」には、漢字の読み方と意味が、日本語で書かれています。それは、ヒエログリフの△を、「メル」と読み、「ピラミッドとよばれる、四角錐の形をした構造物である」ことが、書かれているのと同じです。

　ところで、漢和辞典の「漢」という漢字には、「漢字」のほか、「漢語（中国語）」という意味があります。ということは、漢和辞典とは、漢語（中国語）から和語（日本語）にする辞典ということなのです。このように「英和辞典」は英語から日本語へ、「仏和辞典」はフランス語から日本語にする辞典を意味します。逆に「和英辞典」は、日本語から英語にする辞典です。
　一方、「英英辞典」という辞典があります。これは、英語を英語で解説しているものです。日本では、「日日辞典」とはいわず、「国語辞典」とよばれる辞書と同じ性質のものです。これは辞書といって、すぐにイメージできる一般的な辞書です。

『三省堂例解小学漢字辞典　第五版』（三省堂）　『三省堂例解小学国語辞典　第六版』（三省堂）

　国語辞典は小学校低学年からつかわれていますが、今述べたように、辞書が人類にとっての重要な発明品であることなど、辞書そのものの重要性について学習することなく、言葉の意味を調べるための道具としてあつかわれていることが多いでしょう。
　このシリーズは、だれもが、学びを続けていけばいくほど、辞書や事典をつかうようになることから、教科書では教えない、辞書そのものについて、さまざまな角度から解説を試みるものです。

こどもくらぶ　稲葉　茂勝

この本で、辞書について知ることで、辞書を大切に考え、重視し、もっと有効につかうようになってほしいな！

もくじ

わたしは、案内役だよ。

はじめに ………………………………………………… 2
この本のつかい方 ……………………………………… 5

パート1 辞書を知るには、本を知るべし

辞書を知るには文字も知るべし。

1 文字の誕生 …………………………………………… 6
2 世界の古代文明の象形文字 ………………………… 8
書写材料のうつりかわり ……………………………… 10
3 世界最古の「本」の形 ……………………………… 12
4 紙の発明 ……………………………………………… 14

パート2 人類にとって、辞書とはなにか？

かの有名なロゼッタストーンと辞書の関係とは？おもしろいぞ〜！

5 辞書はいつごろできたの？ ………………………… 16
ロゼッタストーンが辞書の役割をした!? …………… 18
6 古代から現代までの漢字の変化 …………………… 20
7 中国の最初の辞書は？ ……………………………… 22
木版印刷の発明 ………………………………………… 24
8 ヨーロッパの辞書の歴史 …………………………… 26
9 ヨーロッパに「一言語辞書」が登場 ……………… 28

用語解説 ………………………………………………… 30
さくいん ………………………………………………… 32

この本のつかい方

この本では、辞書・事典がどのように誕生したのか、ふたつのパートにわけ、項目ごとにさまざまな視点から解説しています。

写真や図 それぞれのテーマと関連のある写真や図を掲載しています。

まめちしき 本文をよりよく理解するための情報を紹介しています。

用語解説 青字の言葉は用語解説（30〜31ページ）で解説しています。

コラム よりくわしい内容や、関連するテーマを紹介しています。

ときどき出てきて、しゃべるからよろしくね。

パート1 辞書を知るには、本を知るべし

1 文字の誕生

人類（新人）が地球上に誕生したのは、およそ3万年前ごろ*だといわれています。また、文字は今からおよそ5500～5000年ほど前に誕生したと考えられています。

インカ帝国で文字のかわりに用いられたキープ。「結縄文字」ともよばれる。

人類の歴史・文字の歴史

文字ができたのは、紀元前3500～前3000年ごろとみられています。その文字の歴史は、人類の歴史とくらべれば短いといえますが、文字のおかげで、5000年以上も前の人類のことが、今に伝えられているのです。

人類史上最古の文字は、古代メソポタミア（現在のイラク・クウェート）のシュメール文字だと考えられています（⇒P17）。

文字がない文明

世界には、数えきれないほど多くの言語があり、それを書きあらわす文字の種類も非常に多くあります。しかし、文字をもたない言語もあります。その代表的なものが、今から約500～800年前に栄えた南アメリカのインカ帝国です。高度な文明をほこっていながら、文字をもっていませんでした。そこでは、文字のかわりに「キープ」をつかっていました。キープとは、縄の結び目の数、間隔などにより、情報を記録・伝達するものです。

今でも文字をもたない言語を話す人びとが、世界各地にいますが、人類は誕生してから約2万5000年のあいだ、文字をもたずにくらしてきたことを考えれば、現代においても、文字をもたない民族がいてもふしぎではありません。

まめちしき

人類最古の文字は「キープ」？

世界最古の文字はシュメール文字というのが、これまでの通説だった。ところが最近になって、南アメリカのペルー沿岸の砂漠地帯で、今から5000年前のものと推定される古代都市の遺跡が発見され、そこで「キープ」がみつかった。そのキープの意味はまだ解読はされていないが、かなり高度な言語を記録・伝達したものだと推測されている。もしそうなら、世界最古の文字はキープということになるだろう。

*ほかにもさまざまな説がある。

旧石器時代末にかかれたスペインにあるアルタミラ洞窟の壁画。なんのためにかかれたのか、目的ははっきりとわかっていない。
写真：ユニフォトプレス

そもそも「文字」って、なに？

人類は文字を発明する前、動物や太陽などの形をあらわした絵をかきました。そして進歩するにつれて、絵を簡略化してあらわすようになりました。それが「絵文字」です。

しかし、絵文字では、馬をかんたんにかきあらわすことはできても、馬が「どうしたのか」のような具体的な説明はできません。これが、絵文字の限界です。

その後、人類は「象形文字」を発明します。絵文字と象形文字とは、ものの形をかたどっているという点で似ていますが、まったく異なるもの（似て非なるもの）です。その最大の違いは、絵文字が絵そのものでなにかを伝えるのに対し、象形文字は文字としてなにかをあらわすことです。なにかとは、かいたものそのものである場合もありますが、なにかの意味や音をあらわすこともあります。

まめちしき

表音文字と表意文字

文字は音をしめす「表音文字」と意味をしめす「表意文字」というように大きくふたつに分類することもできる。古代エジプトでつかわれていたヒエログリフ（⇒P8）は、ひとつの文字でひとつの単語をあらわす場合（表意文字の役割）と、音をあらわす場合（表音文字の役割）の両方があるのが特徴である。

▽ヒエログリフが表意文字としてつかわれた場合の例

※実在する絵文字ではない。

2 世界の古代文明の象形文字

人類が文字をつかうようになると、楔形文字やヒエログリフなど、世界各地で、さまざまな文字が発明されました。ここでは世界の古代文明の文字を見てみましょう。

古代エジプトの王、ラムセス3世の葬祭殿「メディネト・ハブ」の柱にきざまれたヒエログリフ。写真：ユニフォトプレス

楔形文字とヒエログリフ

　世界最古の文明とされるメソポタミアにおこったメソポタミア文明では、楔形文字（⇒P9）がつかわれていました。その原型は、シュメール人（⇒P17）がつかっていた絵文字だと考えられています。

　紀元前3000年ごろにはじまったとされるエジプト文明でつかわれていたのは、「ヒエログリフ」です。これは典型的な象形文字です。

　また、紀元前2600年から前1800年ごろに栄えたインダス文明でも、その出土品から、象形文字がつかわれていたと考えられています。

紀元前2600年ごろのものとされる石の印章。インダス文明でつかわれた文字と考えられているが、いまだ解読されていない。

パート1 辞書を知るには本を知るべし

世界最古の文明と文字

　紀元前5000年ごろ、ユーフラテス川の沿岸地帯（のちに「メソポタミア」とよばれる）には、ウバイド人が住みついていました。しかし、彼らは文字をもたなかったので、彼らの文明については、いまだによくわかっていません。

　ところが、メソポタミアには紀元前4000年ごろ、シュメール人がやってきて、一大文明を築きました。シュメール人は、楔形文字を発明し、膨大な記録を残しました。それによって太陰暦、六十進法、暦、占星術、金属の鍛錬なども、その時代に存在していたことがわかっています。この文明はその後、エジプト文明、インダス文明の誕生にも影響をあたえました。

　楔形文字は象形文字が基礎となったもので、書写材料（⇒P10）は粘土板でした。現在、楔形文字によって書かれたものとしてはハンムラビ法典がよく知られています。

世界最古の辞書も、粘土板に楔形文字で書いたものだとみられているんだ（⇒P17）。

中国の象形文字

　紀元前1600年ごろの中国（殷王朝の初期）では、黄河文明が栄え、亀の甲羅や牛の骨を焼いて、できたひび割れを見て吉凶を占っていました。そして、なにを占ったか、結果はどうだったかなどを、その甲羅や骨に記録しました。それにつかわれた文字が「甲骨文字」で、現在の漢字の原型だと考えられています（⇒P20）。

高さ約2.25mのハンムラビ法典の石碑。上部にはハンムラビ王（左）が太陽神から法典を授かる場面、下部には楔形文字で282の条文がきざまれている。
写真：ユニフォトプレス

書写材料のうつりかわり

「書写材料」とは、文字を書くもののことです。世界最古の書写材料は、紀元前3500～3000年にメソポタミアで用いられた粘土板だと考えられています。

いろいろな書写材料

古代の「本」の材料となったものは、土や木の葉、竹などの自然物でした。その後、パピルスや羊皮紙、紙など自然物からつくられた書写材料に、文字や図をかいたものが登場します（⇒P11）。

メソポタミア文明の書写材料といえば粘土板でしたが、それは天日干しをすることでかんたんにつくることができたものの、もちはこびに不向き。つぎにあらわれたのが、エジプトの「パピルス」です。これは、必要な大きさに切ることができ、また巻物状にしてもちはこびもできました。

紀元前200年以降になると、羊皮紙が登場したよ。

まめちしき

「パピルス」「羊皮紙」という言葉

パピルスは、英語のpaper（紙）の語源。英語だけでなく、ヨーロッパの国ぐにの「紙」を意味する言葉の語源になっている（ドイツ語－papier／フランス語－papier／スペイン語－papel）。このため、パピルスは紙だと誤解されることがあるが、紙ではない。「紙」は植物などの繊維を、からみあわせてつくるものだが、「パピルス」は植物をたたいて、重ねあわせてつくるので、繊維がからみあうことはないからだ。また、「羊皮紙」には「紙」という字がつかわれているが、羊などの動物の皮からつくるもので紙ではない。

メソポタミアで発掘された粘土板。楔形文字がきざまれている。

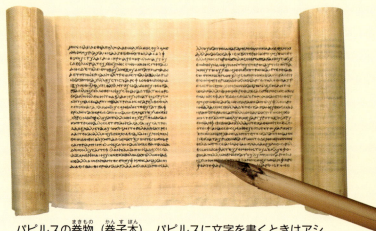
パピルスの巻物（巻子本）。パピルスに文字を書くときはアシのペンや筆がつかわれた。

書写材料の変遷

人類は、土や石、動物の皮、布、木の皮や葉など、身近なところで得られるものに文字や絵を記してきました。おおむね書写材料は、土（粘土板）→パピルス→石→甲羅・骨→木簡・竹簡→羊皮紙→紙へと変遷しました。

- **土（粘土板）**：紀元前3500年ごろからメソポタミアでは、粘土板に楔形文字をきざんだ。これが、人類最古の書写材料だと考えられている。
- **パピルス**：紀元前3500年ごろからエジプトのナイル川流域では、アシという植物でつくったパピルスがつかわれ、紀元後1000年ごろまで使用された。『死者の書』とよばれるパピルス文書が、よく知られている。
- **石**：現存する最古の石碑は、紀元前2700年の「センド王の石碑」だといわれている。ナポレオンがエジプトに遠征した際に発見した「ロゼッタストーン（⇒P18）」は、1822年にシャンポリオンにより解読され、ヒエログリフ（神聖文字）、デモティック（民衆文字）、ギリシャ文字の3種類の文字が玄武岩にきざまれていることが判明した。
- **甲羅・骨**：中国では紀元前1600年ごろに占いの結果を、亀の甲羅やけものの骨に甲骨文字とよばれる文字で記録した。
- **木簡・竹簡**：古代の中国などでは、うすくて細長い木や竹の板を何枚も糸などで綴じて、束にした木簡・竹簡（⇒P13）がよくつかわれていた。のちに日本でもつかわれた。
- **羊皮紙**：羊皮紙は、紀元前200年ごろ発明され、2000年以上使用されてきた。羊皮紙の登場で、書物の形もパピルスの巻物（巻子本）から羊皮紙の冊子本へと変化していった。

1430年ごろフランスでつくられた羊皮紙の写本。

古代エジプトで、パピルスに生前の善行や呪文を記した『死者の書』の一部。写真：ユニフォトプレス

3 世界最古の「本」の形

世界最古の「本」は、紀元前3500年にメソポタミア文明で用いられた粘土板（⇒P10）ですが、その形状はとても「本」とよべるものではありませんでした。では、そもそも「本」とはどういうものでしょう。

本の登場

メソポタミア文明の「本」は粘土板でした。でも、それは重くてもちはこぶのが大変だったため、しだいに姿を消していきました。

パピルスは、必要な大きさに切ることができて、巻物状にしてもちはこびもできましたが、折りに弱く、文字は片面のみに書かれることが、ほとんどでした。

羊皮紙は耐久性があり、ふたつ折りにすることができたので、折ったものを重ねて「本」の形にする技術が登場し、表と裏の両面に文字を書くようになりました。

古代ローマではパピルスの巻物（巻子本）を保護するために羊皮紙のカバーがつけられていた。

イギリスで1865年にかかれた『不思議の国のアリス』の一場面（絵／ジョン・テニエル）。白ウサギが、羊皮紙の巻物をほどいて告訴状を読みあげる。羊皮紙はパピルスにくらべて高価だったため、重要なものを書くときにつかわれた。

> ### まめちしき
> #### 冊子とは？
> 紙などを綴じたものを「冊子」という。「綴じる」という言葉には、「ばらばらのものをひとつにする」「紙などを重ねて糸などを通して本のようにまとめる」の意味があるが、「綴」という漢字には、「手紙を綴る」のように文章を書くという意味もある。

パート1 辞書を知るには本を知るべし

「本の原型」とは？

古代中国の最初の「本」は、うすい木や竹の板を糸などで束ねた木簡や竹簡でした。材料がうすくて細長い木や竹の板であっても、何枚かが糸で綴じられている点で、今の本の形状に近づいていました。

中世のヨーロッパでは、修道院で、羊皮紙にペンとインクで聖書を写した本（写本）がつくられました。それは羊皮紙を重ねて皮ひもを通し、さらにそれらをいくつか重ねて束にしたものに、皮をかぶせて表紙をつけたもので、まさに現在の「本の原型」とよべるものでした。

竹簡は、古代中国で紙が普及する以前につかわれていた。

修道院では、宗教書のほかに、古代ギリシャ・ローマ時代の文学書も書き写された。上は16世紀から17世紀ごろにえがかれた絵画。
提供：ALBUM/アフロ

紙の本の登場

羊皮紙よりも軽くてあつかいやすい紙の発明（⇒P14）は、本の歴史にとって画期的なことでした。ところが、ヨーロッパでは、羊皮紙が長くつかわれていたため、紙が羊皮紙に取ってかわるのは、印刷技術の発明（⇒P24）のあとでした。

なお、現存する印刷の年代が明らかな世界最古の紙の印刷物は、日本で奈良時代につくられた『百万塔陀羅尼』です。

『百万塔陀羅尼』は、小さな塔（右）を100万個つくり、そのなかに「陀羅尼」とよばれる経文が書かれた紙（下）を入れたことから、この名がついたという。
（国立国会図書館所蔵）

このなかに経文が入っているんだぞー。

4 紙の発明

羊皮紙の「本」も、木簡や竹簡でつくった「本」も、「本の原型」といえるものですが、現在の本の形状が完成したのは、紙が発明されてからです。紙を折って製本したものに、表紙がつけられるようになりました。

蔡倫の発明?

「紙(英語のpaper⇒P10)」は、植物から取りだした繊維をバラバラにして水にとかしたのち、特別な道具をつかってシート状にしてから、かわかしたものです。

紙の起源については、これまで中国の歴史書『後漢書』に「蔡倫は樹の皮、麻・布切れ、魚網などを原料にした紙をつくり、元興元年(105年)、和帝にさしあげた」という内容が記されていることから、蔡倫が紙を発明したと信じられてきました。ところが、最近になって前漢時代の遺跡から紙が見つかった＊ため、紙はすでに紀元前200年ごろにはあったと推測されるようになり、今では蔡倫は、それ

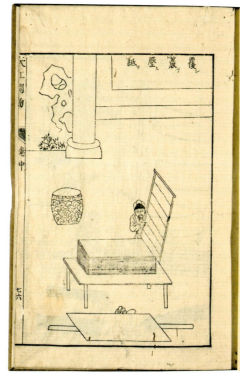

中国で1637年に出版された技術書『天工開物』。製紙技術などが絵入りで紹介されている。
(国立国会図書館所蔵)

以前から伝わっていた紙をつくる方法を整理した人物(「製紙技術の大成者」)といわれるようになりました。

まめちしき

蔡倫

蔡倫は、中国の後漢中期、和帝の時代に宮廷の技芸長官をつとめた役人。蔡倫は、職人たちと紙の製造方法を精密に検討し、改良を重ね、新しい紙をつくりだした。蔡倫の功績は紙の原料を多様化し、紙の質を向上させたことである。蔡倫の改良した紙は広くつかわれるようになり、「蔡侯紙」とよばれている。

中国陝西省にある蔡倫博物館で復元された蔡侯紙(蔡倫紙)。

＊世界最古の紙は1986年に中国甘粛省の放馬灘から出土したもので、紀元前150年ごろのものだと推定されている。

中国の紙が朝鮮半島を経て日本へ

紙をつくる技術（製紙技術）は、飛鳥時代の610年に、高句麗の僧、曇徴によって日本に伝えられたとされています*。

そのころの日本は、推古天皇が即位し（592年）、聖徳太子が仏教を尊重し「十七条の憲法」を制定したころでした。

奈良時代には、国教である仏教や経典の写経、『古事記』や『日本書紀』などの国史編纂や戸籍用に紙の需要が増え、日本各地で和紙の生産量が増加しました。

江戸時代になると紙漉きが黄金時代をむかえ、和紙は民衆のくらしや文化を豊かにしていきました。

「ペーパーロード」でヨーロッパへ

かつて中国の絹（シルク）が中央アジアのオアシスを通って西方のインド、ペルシア、ローマへもたらされました。そのことから、中央アジアを横断する古代の東西交通路は「絹の道（シルクロード）」とよばれています。中国で発明された紙のつくり方もシルクロードを通ってインド、ペルシアへ伝わりました。シルクロードは「ペーパーロード」でもあったといえるでしょう。

やがて紙は地中海沿岸へと伝えられ、ヨーロッパじゅうに広がっていきました。しかし、ヨーロッパで紙が羊皮紙に取ってかわるのは、蔡倫の時代から1000年以上の長い年月がかかりました。

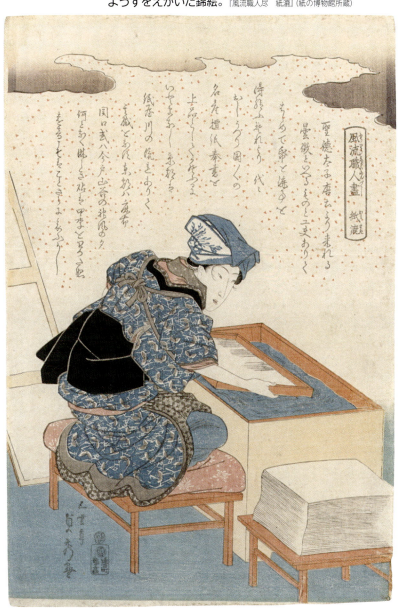

江戸時代後期〜明治時代の浮世絵師、橋本貞秀が紙漉きのようすをえがいた錦絵。『風流職人尽　紙漉』（紙の博物館所蔵）

▽古代の東西交流の道

*いちばん早い説によると3世紀後半ともいわれている。

パート2 人類にとって、辞書とはなにか？

5 辞書はいつごろできたの？

辞書が本であるのはいうまでもありません（最近の電子辞書を除く）が、世界で最初の辞書は粘土板（⇒P10）で、現在の本の形をした辞書のイメージとは、大きく異なるものでした。

古代の辞書は「二言語辞書」だった！

古代文明（エジプト文明、メソポタミア文明、インダス文明、黄河文明）は、ナイル川、チグリス・ユーフラテス川、インダス川、黄河と、いずれも大河流域に発生しましたが、それぞれ遠くはなれた地域で、都市や国家をつくり、文字を生みだしたのです（⇒P8）。

これはいいかえれば、各地域の文字は、ひとつの起源から変化していったのではなく、別べつに発生したことを意味します。当然、言語も地域によってまったく違っています。

このように人類は同じことでも異なる言葉で話し、異なる文字をつかうようになっていきました。文明が発達し、都市国家ができ、しだいに大きな国になっていくと、人の集団同士、都市国家同士、帝国同士が衝突し、一方が他方をのみこんでしまうようになります。その際、相手の言葉や文字がわからないとなると、さまざまな不便が生じます。そこで登場したのが、ほかの言葉が自分の言葉のなにに当たるかをしめす辞書（「二言語辞書」とよぶ）でした。

▽世界の古代文明

文明が発達すれば、辞書が必要になってくるね。

■ の部分は、文明の中心地域をしめしている。

シュメールとアッカド

メソポタミア文明を築いたシュメール人は、長いあいだ隆盛をほこっていましたが、紀元前2300年ごろになると、メソポタミア南部（現在のイラク）で、アッカドが勢力をのばしていきます。そして、サルゴン1世がアッカド王朝（紀元前2350～前2150年）を成立させました。

じつは、この征服こそが、世界で最初の「辞書」の誕生と関係があります。なぜなら、現在わかっている最も古い辞書は、アッカド人がつくったシュメール語の単語のリストだからです。

アッカド人は、シュメール人の文化を取りこむためにシュメール人の言葉を理解する必要がありました。そして世界で最初の辞書をつくったのです。

この最初の辞書は、当時つかわれていた粘土板に楔形文字がきざまれたものでした。

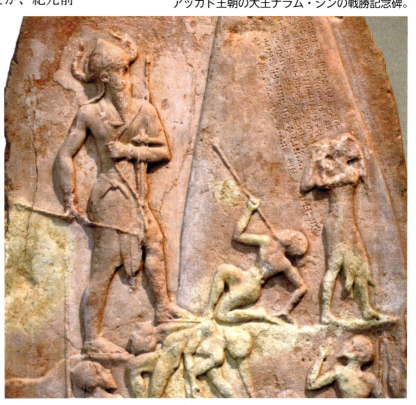

アッカド王朝の大王ナラム・シンの戦勝記念碑。

まめちしき

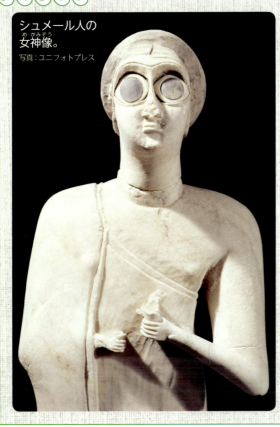

シュメール人の女神像。
写真：ユニフォトプレス

シュメール人の謎

メソポタミア文明でつかわれていた楔形文字の起源は、メソポタミア南部に、突然、どこからともなく出現したシュメール人が紀元前3500年ごろにつくった絵文字（シュメール文字）だと考えられている。この絵文字は、1文字1文字が意味をもっていた。

メソポタミアには神殿などの高度な建築物、病院、学校などがあり、シュメール人は、数学や天文の知識などまでもっていた。それがシュメール文字で記録され、残されている。これまで、各地で楔形文字が書かれた何万枚もの粘土板が発見され、そこには辞書も含まれていたという。

1970年代、ユダヤ人のゼカリア・シッチンが、長年かかって解読した内容を発表。しかし、それによると、「ニビルという惑星からやってきた異星人アヌンナキが、アヌンナキとサルの遺伝子をつかって地球人を科学的に創造し、地球人とともに文明をつくり、大洪水を経てふたたびアヌンナキが人類に文明を教えた」と書かれていて、謎が謎をよんだという。

ロゼッタストーンが辞書の役割をした!?

「ロゼッタストーン」は、エジプトのロゼッタで1799年にナポレオン軍によって発見された石碑です。紀元前196年につくられ、エジプト王プトレマイオス5世を賛美する内容が石にきざまれています。

3種類の文字とは?

ロゼッタストーンは、古代エジプト語のヒエログリフ（神聖文字）とデモティック＊（民衆文字）、そしてギリシャ文字の3種類で記述されています。

当初、なにが書かれているかまったくわかりませんでしたが、フランスの古代エジプト学の研究者のシャンポリオンが、1822年に解読に成功し、それまでわからなかったヒエログリフは、つぎからつぎに翻訳されるようになりました。

まめちしき

シャンポリオン

シャンポリオンは、1790年生まれ。ヒエログリフを解読したことで「古代エジプト学の父」とよばれている。ロゼッタストーンは、ヒエログリフが絵のような文字のため、当初1文字1文字がなにかの意味をしめしている絵文字（⇒P7）ではないかと考えられていたが、シャンポリオンが、ヒエログリフには表意文字と表音文字のふたつの役割があると気づいたことから、解読にいたったという（⇒P19）。

シャンポリオンの肖像画（1831年）。

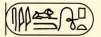

複製されたロゼッタストーン。上から順にヒエログリフ、デモティック、ギリシャ文字で同じ内容の文章が記されている。

＊ヒエログリフを書きやすくくずした文字。

ロゼッタストーン解読の手順

シャンポリオンは、おおよそつぎのようにして解読に成功したといわれています。

①古代ギリシャ文字の部分にはエジプトの王の名前ΠΤΟΛΕΜΑΙΟΣ（プトレマイオス）が何度も登場すること、さらに〔ヒエログリフ〕＊というヒエログリフは、かならず曲線（カルトゥーシュ）でかこまれていることに気づいた。

②わざわざ線でかこんだということは、〔ヒエログリフ〕がなにか特別な言葉ではないか。〔ヒエログリフ〕は「プトレマイオス」をあらわしているのではないか。王の名だけが特別な線でかこまれているのではないか、と推測した。

③ロゼッタストーンとは別の場所でみつかった石柱に注目した。柱にきざまれたヒエログリフにもカルトゥーシュでかこまれた文字があった。それは、それまでの研究でエジプトの女王クレオパトラをしめしていることがわかっていた。〔ヒエログリフ〕＝クレオパトラ

④〔ヒエログリフ〕と〔ヒエログリフ〕では、□と🦁と𓆑が共通している。プトレマイオスとクレオパトラの名前をABCで書いてみた。PTOLEMAIOS（プトレマイオス）にも、CLEOPATRA（クレオパトラ）にも、P・T・O・L・E・Aの文字がつかわれている。このことから、ヒエログリフもABCと同じように1文字ずつ音をあらわす表音文字としてつかわれていると仮定した。

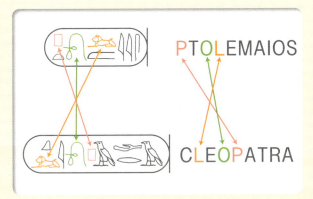

もしも辞書があったなら……

2ページの表は、ヒエログリフと日本語の意味をしめした対応表です。もしこのような辞書があれば、ロゼッタストーンもすぐに読めたわけです。

シャンポリオンがロゼッタストーンを解読したことで、その後多くのヒエログリフが解読されていきました。

ロゼッタストーンは、ヒエログリフの「辞書」のような役割をするものだといってもよいでしょう。

> **まめちしき**
>
> ### 『[図説] ヒエログリフ事典』
>
> 『[図説] ヒエログリフ事典』という本がある。この本は「事典」というタイトルになっているが、一般の辞書・事典とは少し異なるものだ。王、神、人間、動物、自然、家屋、神殿など代表的なヒエログリフの文字ひとつひとつについて、豊富な写真や図版とともに解説。なぜそれが文字としてつかわれるようになったのか、古代エジプト人にとって、ヒエログリフがどんなものだったのか、などが書かれている。
>
>
>
> 『[図説] ヒエログリフ事典』（著／M・C・ペトロ、監修／吉村作治、訳／南條郁子、創元社）

＊ヒエログリフは、動物や人間の頭が向いている方が文頭となる。ロゼッタストーンのヒエログリフは右から左へきざまれているが、ここではわかりやすいように、左から右へ書きあらわした。

6 古代から現代までの漢字の変化

漢字が歴史上に登場したのは、今からおよそ3000年前のこと。ヒエログリフや楔形文字にくらべれば新しいものですが、現代までつかわれている文字としては、最も古いものなのです。

甲骨文字から漢字へ

中国の殷の時代（紀元前1600～前1100年ごろ）、亀の甲羅や牛の骨をつかった占いがおこなわれていました。占いの結果は、甲骨文字で甲羅や骨に書きのこしました（⇒P9）。

甲骨文字は、やがて「金文」→「大篆（篆書）」→「小篆」→「隷書」→「楷書」と進化し、現在の漢字になりました。

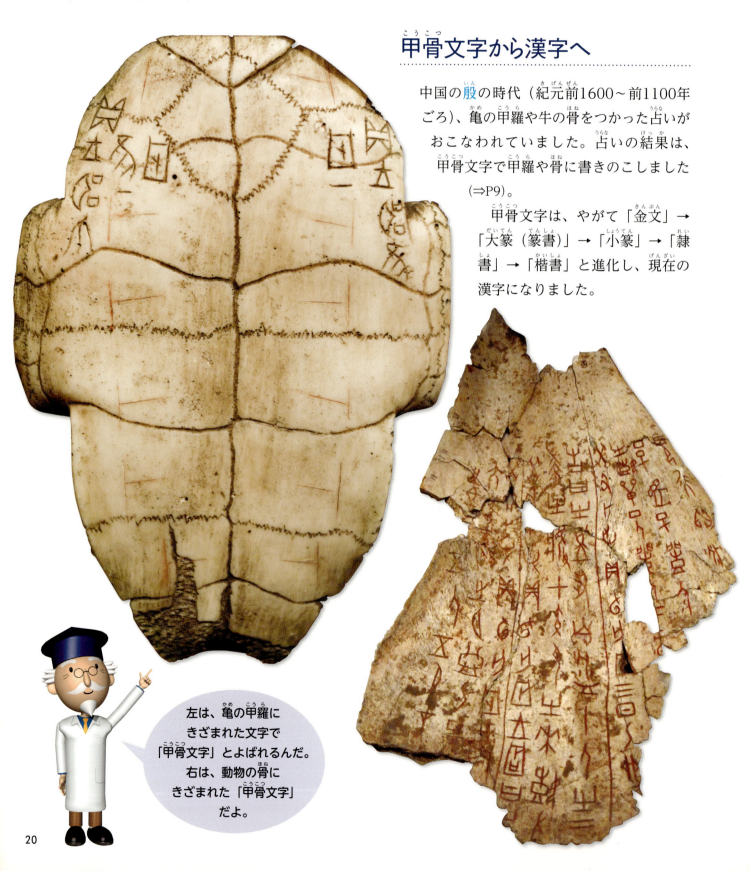

左は、亀の甲羅にきざまれた文字で「甲骨文字」とよばれるんだ。右は、動物の骨にきざまれた「甲骨文字」だよ。

パート2　人類にとって、辞書とはなにか?

金文から楷書までの漢字の歴史

◆金文：約3000年前

中国王朝のなかで存在が確認されている最古の王朝である殷がほろび、周の時代になると青銅器に文字が鋳込まれたり（金属をとかして形をつくる際に文字を入れる）、きざまれるようになっていた。この文字が「金文」。固いものにきざまれた直線が多い甲骨文字とくらべると、金文はふくらみをもったなめらかな線が多い。石にきざまれたものも多いため、「金石文」ともいう。

◆大篆（篆書）：約2500年前

周がほろんだのち、いくつもの国が勢力争いをする春秋時代（紀元前770〜前403年ごろ）・戦国時代（紀元前403〜前221年ごろ）となり、つかわれた文字は地方によって異なった。この時代、孔子やその弟子たちなどの思想家が活躍。彼らは自分たちの考えを広め、のちの世に伝えるために、多くの記録を残した。その当時、秦以前につかわれた漢字の書体が「大篆（篆書）」である。

◆小篆：約2200年前

紀元前221年、秦が中国を統一。始皇帝は篆書を簡略化した「小篆」に統一した（それまでの篆書を「大篆」とよんで区別）。その後小篆は100年ごろから『説文解字』（⇒P22）という字典にまとめられ、「漢字の聖典」として確立された。日本にはじめて伝わった漢字も小篆で、現在の日本では書道や印鑑につかわれている。

◆隷書：約2200年前

秦で小篆がつかわれはじめたころ、小篆を簡略化して書きやすくした書体が登場。これが「隷書」。前漢（紀元前202〜8年）が中国を支配するころには、ものごとを細かくきちんと記録することが必要な社会になっていて、役人は毎日文字を書く生活となった。すると、ますます複雑な篆書で書くのは大変だということになり、隷書が定着していった。

◆楷書：約2000年前

後漢（25〜220年）の時代になると、さらに簡略化した「楷書」が登場。楷書は大きさをそろえ、角をつけて一点一画をていねいに書く書体のこと。中国の漢字はこののちも簡略化の道を進んでいった。

▽漢字の変化（甲骨文字から楷書まで）

	甲骨文字	金文	大篆	小篆	隷書	楷書
羊						
門						
犬						

21

7 中国の最初の辞書は？

中国では、あらゆる意味の言葉を異なる漢字をつかってあらわします。このため、中国の言葉を集めたり解説したりすることは、漢字を集めて、その意味を解説することになります。これが、中国の辞書のはじまりです。

字形によって漢字を集めた本

中国では、漢字を字形（部首）によって分類し、その読み方や意味、語源などをまとめた本がつくられるようになりました。そうした本を「字書」とよんでいます。現在知られている字書としては、『説文解字』『玉篇』などがありますが、1716年に『康熙字典』が登場してから「字典」とよぶことが多くなりました。この種の辞書は、写真からわかるとおり中国の漢字を中国語で解説する本です。これは、16ページで取りあげた「二言語辞書」に対し、ひとつの言語だけで書かれた「一言語辞書」というものです。これは日本の漢和辞典の原型となったといわれています。

まめちしき
『説文解字』

『説文解字』は、後漢の許慎が著した字書で、100年ごろに成立したと推測されている。全巻現存するものとしては、最古。大篆（⇒P21）9000字あまりを取りあげて、その成りたちが解説されている。

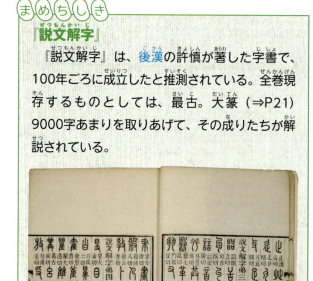

『説文解字』（早稲田大学図書館所蔵）

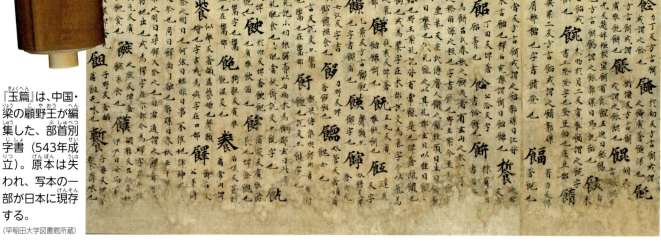

『玉篇』は、中国・梁の顧野王が編集した、部首別字書（543年成立）。原本は失われ、写本の一部が日本に現存する。
（早稲田大学図書館所蔵）

パート2 人類にとって、辞書とはなにか？

『康熙字典』は、中国・清の康熙帝の命令で編集された漢字字典（1716年成立）。漢字を楷書の画数順に配列し、字音・字義・用例をしめしている。
（早稲田大学図書館所蔵）

これ以降につくられた辞書のお手本になった漢字字典だよ。

まんなかに書かれている「十五畫」は「15画」のことで、その左側の漢字はすべて画数が15だよ。

意味によって漢字を集めた本

漢字の字形の分類によってつくられた「字書（字典）」に対し、意味によって漢字を集めた本がつくられるようになりました。つまり、似たような意味の漢字を集めた本で、現在の「類語辞典」のようなものでした。

その後、『爾雅』『釈名』など（現在はまとめて「訓詁の書」ともよばれる）、いくつもの辞典がつくられていきます。それらは、それぞれ成立年代は明らかではありませんが、おそらく前漢時代にはつかわれていたと考えられています。なお、その種の本は、現在の中国では「詞典」とよばれています。ただし、本格的な「詞典」がつくられるのは、近代になってからです。

まめちしき

『爾雅』

『爾雅』は漢字の意味に重点をおいてつくられた中国最古の字書（紀元前200年ごろ成立）。3巻で構成され、周代から、漢代に書かれた経書*についての解説がされている。

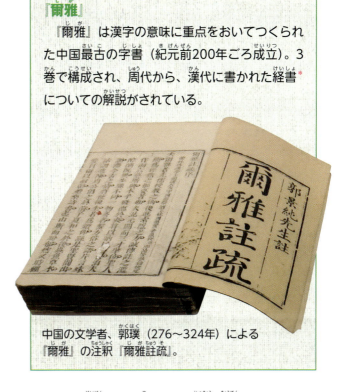

中国の文学者、郭璞（276〜324年）による『爾雅』の注釈『爾雅註疏』。

＊古代中国の聖賢の教えを述べた書物・儒教の経典。

木版印刷の発明

「木版印刷」とは、木の板に文や絵を彫ってつくった版をつかって、印刷する技術です。これも、紙と同じく中国で発明されました。

辞書を知るためには、印刷についても理解しておかなければならないよ。

木版印刷の起源

木版印刷の技術がいつ・どこでできたか、はっきりわかっていませんが、おそらく660年ごろ中国ではじまったのではないかと考えられています。当時の中国では、すでに経典、暦本などが印刷されていたと考えられます。その後、その技術が中国から世界へ広がっていきます。

紙とともに木版印刷が入ってきた日本では、急速に広がり、技術も進歩していきました。現在残っている世界最古の印刷物も日本にあります（奈良の法隆寺にある『百万塔陀羅尼』⇒P13）。

まめちしき
グーテンベルク

グーテンベルクは、1398年ごろ（正確には不明）にドイツのマインツで生まれ、印刷の仕事をしていた。その彼が発明したのが活版印刷術で、1440年代のことだといわれている。「活版印刷」とは、活字をならべてつくった版（活版）に、インクをつけてスタンプを押すようにして印刷するという方法。

ドイツでは、各地にグーテンベルク像がある。写真はフランクフルトにある像。

グーテンベルクの印刷機

中国の紙と印刷技術がヨーロッパに伝わってからかなりの時間が経ってしまいましたが、15世紀なかばになって、ドイツのグーテンベルクが、金属活字をつかった印刷機を開発します。これにより本をとりまく状況はもちろん、社会全体の状況が大きく変わりました。

印刷技術による辞書の普及

印刷技術の向上はさまざまな面に影響をもたらしました。印刷物に、動物や植物などあらゆるものの描写を、より正確にあらわすことができるようになりました。また、地図や解剖図もより正確にあらわされるようになり、学問の進歩をもたらしました。

辞書が普及するようになると、外国語の学術書が読めるようになり、外国のすぐれた技術や文化が日本に入ってくるようになりました。

まめちしき
『グーテンベルク聖書』と宗教改革

当時聖書は高価なもので、教会のものとされていた。グーテンベルクは、活版印刷術を用いて『グーテンベルク聖書』をつくった。この印刷技術により、一度に同じ内容の本がたくさん印刷できるようになり、聖書が広く普及して一般の信者も読めるようになった。その結果、教会の権力が弱体化し、教会を批判する人があらわれた。マルティン・ルター（1483～1546年）らによる宗教改革には、このような時代背景があったといわれている。

『グーテンベルク聖書』は1ページに42行あることから『四十二行聖書』ともよばれる。 提供：akg-images/アフロ

まめちしき

3つの印刷法

　グーテンベルク以来、ヨーロッパでは、文字は活版（凸版）で絵は凹版で印刷する時代が続いていた。ドイツのゼーネフェルダー（1771〜1834年）が石版印刷（リトグラフ）を発明、その後は、印刷物によりさまざまな方法がとられ、印刷技術がどんどん発展していった。

●凸版と活版：「凸版」とは、最も歴史の古い印刷技術で、印刷版面の必要部分がつきでていて、その部分にインクをつけて、紙面に圧力を加えて印刷する。また「活版」とは活字をならべてつくった印刷用の版、または、それによる印刷技術のことをさす（活版も凸版印刷にふくまれる）。

●凹版印刷：凹状に彫ったり、金属を腐食させてへこませたりした原版にインクをつけて印刷する印刷法。

●石版印刷（リトグラフ）：水と油との反発で印刷する。版面にはっきりした高低がないことから「平版」ともいわれる。

8 ヨーロッパの辞書の歴史

ヨーロッパでは、古くから聖職者や知識階級の人びとにとっての教養の基本は、ラテン語の知識をもつことでした。また、ラテン語で書かれた書物を理解するためには、ラテン語の辞書が必要となるため、ラテン語と自国語の辞書が多くつくられました。

イギリスの辞書

イギリスで辞書がはじめてつくられたのは、8世紀ごろのことだったと考えられています。

古くは、修道院などでラテン語のテキストを読むときに、それぞれが書きこんでいた語句の注釈を、便宜的にまとめて書き写す習慣が生まれました。これを整理して、ラテン語から英語へ、英語からラテン語への用語集が8世紀の後半からつぎつぎにつくられました。また、フランスやイタリアなどヨーロッパ各地でも同様のものがつくられました。

ただし、当初の用語集は、アルファベット順ではありませんでした。アルファベット順が確立するのは、15世紀の後半になってからのことです。印刷機が発明されてからは、こうした辞書が多くつくられるようになりました。

二言語辞書が普通だった

ヨーロッパでは、辞書といえば、ラテン語やギリシャ語のような古典語や、フランス語をはじめとするさまざまな外国語を自国語でなんというかを知るためのものと考えられていました。この考え方は18世紀初頭まで続きました（⇒P29）。

英語とロシア語の二言語辞書。英単語がアルファベット順にならべられ、ロシア語で解説されている。

解説文はふしぎな文字に見えるけれど、ロシア語を書くための「キリル文字」だよ。

世界で最も多くつかわれているラテン文字

「ラテン文字」とは、英語のアルファベットとしてよく知られている、下にしめす26個の文字(それぞれに小文字がひとつずつある)のことです。これらの文字は、もともと古代の都市国家ローマでつかわれていたものでしたが、ローマ帝国の勢力が拡大したことや、ローマ・カトリック教会の布教活動によりヨーロッパ全域に広がっていきました。

ラテン文字は、トルコやマレーシアなどで、それまで使用されていたアラビア文字をおしのけました。また旧ソ連のモルドバやアゼルバイジャンなどの国ぐにでも、それまでのキリル文字をやめてラテン文字をつかいはじめました。さらに、ベトナムでは漢字やチュノム文字のかわりに、また中国では、漢字の発音記号(ピンイン)としてラテン文字をつかうようになりました。

日本では、ラテン文字が、漢字やカタカナ、ひらがなに取ってかわることはありませんでしたが、ローマ字として一般的につかわれるようになりました。このように現在では、ラテン文字はヨーロッパやアメリカ大陸、アフリカ、また、オセアニアやアジアでも使用され、世界で最も多くつかわれる文字になったのです。

ラテン文字の特徴として、古代から2000年以上もの長い間、あまり形が変化していないことがあげられます。

紀元前212〜前195年ごろに、ローマでつかわれていたコイン。ラテン文字で「ROMA」と書かれている。

ラテン文字のルーツは?

現在世界じゅうに広がっているラテン文字にはエトルリア文字という、もとになった文字があります。さらに、エトルリア文字は、ギリシャ文字から生まれた文字です。おもにロシアや東ヨーロッパで広くつかわれているキリル文字もギリシャ文字からわかれてできた文字です。ギリシャ文字にもさらにルーツがあります。それは、紀元前13世紀から前12世紀ごろにフェニキア人がつくった22文字のフェニキア文字だと考えられています。

▼ラテン文字
A B C D E F G H I J K L M N O P Q R S T U V W X Y Z

▼エトルリア文字

▼ギリシャ文字
Α Β Γ Δ Ε Ζ Η Θ Ι Κ Λ Μ Ν Ξ Ο Π Ρ Σ Τ Υ Φ Χ Ψ Ω

▼キリル文字
А Б В Г Д Е Ё Ж З И Й К Л М Н О П Р С Т У Ф Х Ц Ч Ш Щ Ъ Ы Ь Э Ю Я

▼フェニキア文字

9 ヨーロッパに「一言語辞書」が登場

イギリスでは17世紀のはじめごろになると、英文のなかに出てくる難しい言葉の説明をする辞書がつくられるようになりました。これは、それまでの「二言語辞書」とは異なる「一言語辞書」です。

「一言語辞書」と「二言語辞書」

英語辞典は、日本の国語辞典の英語版。英語の言葉を英語で解説するものです。英語を日本語で解説するものを「英和辞典」、日本語を英語で解説するものを「和英辞典」とよぶのに対し、英語で英語を解説しているので、日本では「英英辞典」ともよばれています。

なお、現存する日本でつくられた最古の辞書は、空海が編纂したといわれる『篆隷万象名義』（830年以降成立）ですが、これは漢字に簡潔な漢文がついたもので、漢字に日本語（和訓）を記した漢字字典は、『新撰字鏡』（898～901年成立）が最初とされています（⇒2巻）。

日本最初の英和辞典『英和対訳袖珍辞書』。ポケット版の英蘭（英語とオランダ語）辞書をもとにして、幕府洋学調所が1862年（文久2年）に発行した。書名の「袖珍」とは、ポケット版のこと。和字は木版で、英字は金属活字で印刷されている。
（早稲田大学図書館所蔵）

日本最初の和英辞典『和英語林集成』（通称はヘボン辞書）。アメリカの宣教師ヘボンが編集し、1867年（慶応3年）に出版された。1872年（明治5年）に再版が、1886年（明治19年）には第三版へと改訂された。
（国立国会図書館所蔵）

パート2 人類にとって、辞書とはなにか？

『オックスフォード英語辞典』の初版は12巻と補遺1巻からなり、12世紀なかば以後の英語（一部はさらに古い）をすべて採録することを編集方針として、1884年から1928年にかけて刊行された。完成時の書名は"A New English Dictionary on Historical Principles"（『歴史的原則にもとづく新英語事典』）。写真：REX FEATURES/アフロ

難語辞典から日常語も含む辞典へ

16世紀に出された最初の英語辞典は、「難語辞典」ともいえるものでした。難しい言葉を日常つかわれている言葉で解説することが目的であったため、日常の言葉は、見出し語としてのっていませんでした。イギリスで、英語のdog（イヌ）、cat（ネコ）、water（水）、good（よい）などという日常の言葉をのせた英語辞典がつくられたのは、18世紀初頭のことでした。

世界じゅうで知られている英語辞典

イギリスのオックスフォード大学出版局が刊行する『オックスフォード英語辞典』（略称はOED）は、収録語数が60万語以上にのぼり、「最大かつ最高の英語辞典」だといわれています。

一方アメリカでは、19世紀初頭にノア・ウェブスター（1758〜1843年）がアメリカ人による、アメリカ人の辞書をつくろうと考え、約20年かけてまとめた『アメリカ英語辞典』を出版。これを基礎とした『ウェブスター辞典』が現代のアメリカにおける代表的な辞典となっています。

ウェブスターが1828年に出版した『アメリカ英語辞典』は、当時のアメリカで最も重要な辞典として、評価された。写真：Alamy/アフロ

用語解説

本文中で青字にした言葉を五十音順に解説しています。
数字はその言葉が出てくるページをしめしています。

▶殷 ……………………………… 9, 20, 21
中国史上、実在の明らかな最古の王朝。紀元前1600年から前1100年ごろとされる。

▶インダス文明 ………………… 8, 9, 16
紀元前2600年から前1800年ごろにかけて、インダス川流域に栄えた文明。公衆浴場・集会所などの公共施設や排水設備などをそなえた、高度な都市づくりがおこなわれていた。モヘンジョ・ダロ、ハラッパーなどの遺跡が残る。

▶エジプト文明 ………………… 8, 9, 16
エジプトのナイル川流域で発達した古代文明。紀元前3000年ごろに成立した統一国家のもとで、ピラミッドや神殿がつくられ、測量技術や暦などの科学技術が発達した。

▶黄河文明 ……………………………9, 16
中国の古代文明のひとつ。黄河の中・下流域を中心に発達した。現在では、黄河流域だけでなく、長江流域にも多くの文化が成立したことがわかり、黄河文明とあわせて中国文明とよぶこともある。新石器時代の彩陶で知られる仰韶文化にはじまり、青銅器時代の殷・周などの王朝文化までをさす。

▶孔子 …………………………………… 21
中国の春秋時代末期の思想家で、儒教の開祖。弟子の数は74歳で病死するまでに3000人と伝えられている。後世、儒教の祖として尊敬され、日本の文化にも古くから大きな影響をあたえた。孔子とその弟子の問答をまとめた『論語』は儒教の経典のひとつ。

▶後漢 ……………………………… 14, 21, 22
古代中国の王朝。前漢がたおされたあと、一時、漢王朝はとだえたが、25年に皇帝一族の劉秀（光武帝）が復興させた。新をはさみ、それ以前を前漢、以後を後漢という。184年の黄巾の乱をきっかけに魏・呉・蜀の三国分裂の時代となり、後漢は220年に滅亡した。

▶サルゴン1世 ………………………… 17
メソポタミアを統一して最古の世界帝国を建設した、アッカド朝の創始者。アッカド人を率いて、シュメールの都市を征服した。

▶始皇帝 ………………………………… 21
中国、秦の初代皇帝。名は政。在位、紀元前221年～前210年。いくつもの王朝がならびたっていた中国で、はじめて統一国家をうちたてた。貨幣の統一、秦に反対する人を弾圧した焚書坑儒による思想統一、万里の長城の修築などをおこなったが、強圧政治に対する反乱がおき、始皇帝の死後数年で帝国はほろびた。

▶周 ……………………………………… 21
中国古代の王朝。はじめは殷の支配下におかれた地方国家であったが、紀元前1027年ごろに武王が殷をたおして周を建国した。紀元前249年に秦にほろぼされた。

▶秦 ……………………………… 21
中国の春秋戦国時代の七雄のひとつ。紀元前249年に周をほろぼし、紀元前221年に中国を統一。政は、それまでの王という称号をやめ、皇帝という称号を名のった（始皇帝）。

▶聖書 ……………………………… 13, 24
神や聖人の教えやおこない、信者に対するいましめなどを述べた書物。一般には英語でBibleとよばれるキリスト教徒の旧約聖書と新約聖書をさす。

▶前漢 ……………………………… 14, 21, 23
中国古代の王朝。秦の滅亡後、紀元前202年、楚の項羽を破った漢王劉邦が建国した。8年にたおされ、王莽によって新がおこされた。

▶ハンムラビ法典 ……………………… 9
バビロニア王ハンムラビが制定・発布した法典。完全な形で実物が残る世界最古の法典だとされる。それまで慣習としてつかっていたシュメールの法律をまとめたもので、刑罰については「目には目を、歯には歯を」の復讐法を原則とし、身分によって刑罰の重さが異なっていた。

▶表意文字 ……………………………… 7, 18
ひとつひとつの文字が、意味をあらわしている文字。漢字など。例えば「山」は一字で「やま」を意味する。対表音文字。

▶表音文字 ……………………………… 7, 18, 19
ひとつひとつの文字に意味はなく、音だけをあらわす文字。カタカナやひらがな、ローマ字など。対表意文字。

▶部首 ……………………………… 22
漢和辞典などで漢字を引くときに目じるしとなる、へん・つくり・かんむり・かまえなど。

▶マルティン・ルター ……………………… 24
ドイツの宗教改革者。キリスト教プロテスタント創始者のひとり。ローマ教皇が免罪符を乱発したことに反対して、1517年に「95か条の論題」を発表。これが宗教改革のきっかけとなった。その後、ラテン語からのドイツ語訳新約聖書を完成させた。

▶メソポタミア文明 …… 8, 10, 12, 16, 17
紀元前3000年ごろ、チグリス川、ユーフラテス川流域でおこった世界最古の文明のひとつ。シュメール人による都市国家を中心に灌漑農業、楔形文字、暦、占星術などが発達した。

▶ラテン語 ……………………………… 26
古代ローマ帝国でつかわれていた言葉。20世紀はじめまでは、キリスト教カトリック教会の公用語であり、ギリシャ語とともに、ヨーロッパの学問や芸術に最も重要な言語であった。中世以降は、専門的な学問などに用いられた。現在のフランス語、イタリア語、スペイン語などは、ラテン語から生まれた言葉である。

ちゃんと読んでくれてありがとう！

さくいん

あ行

インカ帝国 ・・・・・・・・・・・・・・・・・・・・・・・・・・・・・・ 6
インダス文明 ・・・・・・・・・・・・・・・・・・・・・ 8, 9, 16
『ウェブスター辞典』 ・・・・・・・・・・・・・・・・・・・・ 29
英英辞典 ・・・・・・・・・・・・・・・・・・・・・・・・・・・・・ 28
英語 ・・・・・・・・・・・・・・・・・・・・・・ 26, 27, 28, 29
英和辞典 ・・・・・・・・・・・・・・・・・・・・・・・・・・・・・ 28
『英和対訳袖珍辞書』 ・・・・・・・・・・・・・・・・・・・ 28
エジプト文明 ・・・・・・・・・・・・・・・・・・・・ 8, 9, 16
絵文字 ・・・・・・・・・・・・・・・・・・・・・・ 7, 8, 17, 18
『オックスフォード英語辞典』(OED) ・・・・ 29
オランダ語 ・・・・・・・・・・・・・・・・・・・・・・・・・・・ 28

か行

紙 ・・・・・・・・・・・・・・・・・・・・・・・・・・・ 10, 14, 15
漢字 ・・・・・・・・・・ 9, 12, 20, 21, 22, 23, 27, 28
漢和辞典 ・・・・・・・・・・・・・・・・・・・・・・・・・・・・・ 22
キープ ・・・・・・・・・・・・・・・・・・・・・・・・・・・・・・・・ 6
『玉篇』 ・・・・・・・・・・・・・・・・・・・・・・・・・・・・・・ 22
ギリシャ語 ・・・・・・・・・・・・・・・・・・・・・・・・・・・ 26
グーテンベルク ・・・・・・・・・・・・・・・・・・・ 24, 25
楔形文字 ・・・・・・・・・・・・・・・ 8, 9, 10, 17, 20
黄河文明 ・・・・・・・・・・・・・・・・・・・・・・・・・・・ 9, 16
『康熙字典』 ・・・・・・・・・・・・・・・・・・・・・・ 22, 23
甲骨文字 ・・・・・・・・・・・・・・・・・・・・・・ 9, 20, 21
孔子 ・・・・・・・・・・・・・・・・・・・・・・・・・・・・・・・・ 21
国語辞典 ・・・・・・・・・・・・・・・・・・・・・・・・・・・・・ 28

さ行

蔡倫 ・・・・・・・・・・・・・・・・・・・・・・・・・・・・ 14, 15
サルゴン1世 ・・・・・・・・・・・・・・・・・・・・・・・・・ 17
『爾雅』 ・・・・・・・・・・・・・・・・・・・・・・・・・・・・・ 23
『死者の書』 ・・・・・・・・・・・・・・・・・・・・・・・・・ 11
『釈名』 ・・・・・・・・・・・・・・・・・・・・・・・・・・・・・ 23
シャンポリオン ・・・・・・・・・・・・・・・ 11, 18, 19
シュメール人 ・・・・・・・・・・・・・・・・・・ 8, 9, 17

シュメール文字 ・・・・・・・・・・・・・・・・・・・・ 6, 17

シュメール文字 ・・・・・・・・・・・・・・・・・・・・ 6, 17
象形文字 ・・・・・・・・・・・・・・・・・・・・・・・・ 7, 8, 9
聖書 ・・・・・・・・・・・・・・・・・・・・・・・・・・・・ 13, 24
『説文解字』 ・・・・・・・・・・・・・・・・・・・・・・ 21, 22

た行

竹簡 ・・・・・・・・・・・・・・・・・・・・・・・・ 11, 13, 14

な行

粘土板 ・・・・・・・・・・・・・・・・ 10, 11, 12, 16, 17
ノア・ウェブスター ・・・・・・・・・・・・・・・・・・・ 29

は行

パピルス ・・・・・・・・・・・・・・・・・・・・ 10, 11, 12
ハンムラビ法典 ・・・・・・・・・・・・・・・・・・・・・・・ 9
ヒエログリフ ・・・・・・・・・・・ 7, 8, 11, 18, 19, 20
『百万塔陀羅尼』 ・・・・・・・・・・・・・・・・・・ 13, 24
表意文字 ・・・・・・・・・・・・・・・・・・・・・・・・・ 7, 18
表音文字 ・・・・・・・・・・・・・・・・・・・・・・ 7, 18, 19
フランス語 ・・・・・・・・・・・・・・・・・・・・・・・・・・ 26

ま行

マルティン・ルター ・・・・・・・・・・・・・・・・・・・ 24
メソポタミア文明 ・・・・・・・ 8, 10, 12, 16, 17
木簡 ・・・・・・・・・・・・・・・・・・・・・・・・ 11, 13, 14

や行

羊皮紙 ・・・・・・・・・・・・・・ 10, 11, 12, 13, 14, 15

ら行

ラテン語 ・・・・・・・・・・・・・・・・・・・・・・・・・・・・ 26
ロゼッタストーン ・・・・・・・・・・・・・・ 11, 18, 19

わ行

『和英語林集成』 ・・・・・・・・・・・・・・・・・・・・・ 28
和英辞典 ・・・・・・・・・・・・・・・・・・・・・・・・・・・・・ 28

■ 監修／倉島　節尚（くらしま　ときひさ）

1935年、長野県生まれ。1959年東京大学文学部国語国文学科を卒業、三省堂に入社。以後30年間国語辞典の編集に携わる。『大辞林』（初版）の編集長。三省堂で常務取締役・出版局長を務め、1990年から大正大学文学部教授、2008年名誉教授。辞書に関する著書に『辞林探求』（おうふう）、『辞書は生きている』（ほるぷ出版）、『辞書と日本語』（光文社）、『日本語辞書学への序章』『宝菩提院本 類聚名義抄』『宝菩提院本 類聚名義抄和訓索引』（大正大学出版会）、共編に『日本辞書辞典』『日本語辞書学の構築』（おうふう）などがある。

■ 文／稲葉　茂勝（いなば　しげかつ）

1953年、東京都生まれ。大阪外国語大学及び東京外国語大学卒業。長年にわたり編集者として書籍・雑誌の編集に携わり、まもなく1000冊になる。この間、自ら執筆・翻訳も多く手がけてきた。著書に『大人のための世界の「なぞなぞ」』『世界史を変えた「暗号」の謎』（共に青春出版社）、『子どもの写真で見る世界のあいさつことば』（今人舎）、「世界のなかの日本語」シリーズ1、2、3、6巻（小峰書店）などがある。

■ 編／こどもくらぶ

あそび・教育・福祉分野で、毎年100タイトルほどの児童書を企画・編集している。

この本の情報は、2015年8月現在のものです。

■編集・デザイン
こどもくらぶ（長野絵莉、信太知美）

■制作
（株）エヌ・アンド・エス企画

■写真協力（敬称略）
〈 P6 〉天野織物博物館
〈 P8 〉©Mukul Banerjee Photography
〈P10〉©Gavril Margittai ¦ Dreamstime.com
〈P10～P12〉八木健治（羊皮紙工房）
〈P13〉©Hbcs0084 ¦ Dreamstime.com
〈P14〉有限会社蘭花堂
〈P18〉©Francisco Javier Espuny
　　　　 ¦ Dreamstime.com
〈P20〉©Mudong ¦ Dreamstime.com
　　　　 ©Steve Byrne
〈P24〉©Jörg Hackemann
〈P26〉©Auris ¦ Dreamstime.com
〈P27〉©Andrew McCabe

辞書・事典のすべてがわかる本 ① 辞書・事典の誕生のひみつ　　　　　　　　NDC813

2015年10月30日　　初版発行

監　修　　倉島節尚
　文　　　稲葉茂勝
発 行 者　山浦真一
発 行 所　株式会社あすなろ書房　　〒162-0041　東京都新宿区早稲田鶴巻町 551-4
　　　　　　電話　03-3203-3350（代表）
印 刷 所　凸版印刷株式会社
製 本 所　凸版印刷株式会社

©2015　INABA Shigekatsu　　　　　　　　　　　　　　　　　　　32p／31cm
Printed in Japan　　　　　　　　　　　　　　　　　　　　ISBN978-4-7515-2851-8